een vis met een pet

Anke de Vries
tekeningen van Camila Fialkowski

 Zwijsen

aap

beer

3

aap is in een boom.
aap eet een noot.

een buik?

beer met een pet.
een pet met een veer.
beer met een neus.
beer met een poot en een teen.

aap in een boom.
aap met een pet.
een pet met een veer.

mis, aap.
net mis.

oo, neus!
beer is boos.

ik mis een pet, aap.
een pet met een veer.

beer, beer!
een boom met een pet!
een pet met een veer.

beer in een boot

 een boot, aap.
ik vaar naar een meer.

en ik, beer?

beer en aap in een boot.
beer met een pet.
een pet en een veer.

aap met een noot.
aap met een peer.
aap met een bes en een boon.

aap eet en eet maar.
een reep en room.
meer en meer.
en ik, aap?
beer is boos.

oo, beer.

een aap in een meer.
aap is net een vis.

aap in een boot?
aap aan een poot!
een poot met een teen.

ik ben boos, aap.
ik mis een pet.
een pet met een veer.

beer, beer!
een vis met een pet.
een pet met een ... vin!

is beer boos?

Serie 3 • bij kern 3 van Veilig leren lezen

Na 7 weken leesonderwijs:

1. sep is boos
Frank Smulders en
Leo Timmers

2. een roos voor toos
Marianne Busser &
Ron Schröder en
Marjolein Pottie

3. ris, ris!
Maria van Eeden en
Jan Jutte

4. is sem er?
Anneke Scholtens en
Pauline Oud

5. ik tem een beer
Annemarie Bon en
Tineke Meirink

6. een vis met een pet
Anke de Vries en
Camila Fialkowski

7. sok aan, moos!
Daniëlle Schothorst

8. saar en toon
Stefan Boonen en
An Candaele